PAUSE LECTURE FACILE

Chantage dans les vignes

Niveau **B1**

NICOLAS GERRIER

Direction de la production éditoriale : Béatrice Rego - Édition : Élisabeth Fersen - Marketing : Thierry Lucas -
Conception graphique et mise en page : Miz'enpage - Illustrations : Gio - Enregistrements : Vincent Bund -

Photos : Carte de France : © christemo - Fotolia.com - Beaujolais : © Yves Damin - Fotolia.com - Champagne : © Unclesam - Fotolia.com - Bouchons : © Unclesam - Fotolia.com - Bourgogne : © alain wacquier - Fotolia.com

CLE International / SEJER 2013 - ISBN : 978-2-0-903-1345-1

Sommaire

Présentation

Genre Suspense – aventure

Résumé Éric Bellage est vigneron en Bourgogne, une région dans le centre-est de la France. Lorsque sa femme, Élisa, est enlevée, Éric doit payer une rançon d'un million d'euros. Il décide de vendre son vignoble pour trouver cet argent. Mais Alain Groguin, l'acheteur, est-il vraiment honnête ?

Thèmes L'amour - l'amitié - le courage - le chantage - la malhonnêteté - les vignes - le monde du vin.

Les personnages

Éric Bellage

Il a 50 ans. Il aime son vignoble et sa famille. Il va tout faire pour sauver sa femme.

Flore

C'est la fille d'Éric. Elle s'occupe de la fabrication du vin. Elle ne fait pas confiance à l'acheteur du vignoble.

Xavier

Il a trente ans et travaille avec Éric depuis deux ans. Il s'occupe de commercialiser le *Château Bellage*. Il est très bon dans son métier.

Thibault

Il a dix-neuf ans et passe ses journées dans les vignes. Il est courageux et ne veut pas attendre la remise de la rançon les bras croisés.

Prépare la lecture

1. Lis le résumé de l'histoire.

a. Explique le titre de l'histoire.

....

....

b. Essaie de deviner l'intrigue. Fais des hypothèses.

....

....

....

2. Regarde les personnages.

a. Décris en quelques mots le physique et imagine le caractère de chacun.

Éric : ....

Thibault : ....

Flore : ....

Xavier : ....

b. Quel personnage te semble le plus intéressant ? Pourquoi ?

....

....

3. Le monde du vin. Relie chaque mot à sa définition.

a. le vigneron •	• 1. C'est une boisson faite à partir de raisins.
b. le vin •	• 2. Son métier est de récolter le raisin et de faire du vin.
c. les vignes •	• 3. C'est la période où on cueille le raisin.
d. les vendanges •	• 4. Ce sont les plantes qui donnent le raisin.
e. le vendangeur •	• 5. C'est un terrain planté de vignes.
f. le vignoble •	• 6. C'est celui qui cueille le raisin.

CHAPITRE UN

SAMEDI 3 OCTOBRE, 20 H

La fête du dernier jour des vendanges ! Éric Bellage regarde les tables installées dans la plus grande cave de son château. Les gens rient, boivent, mangent, chantent. Tout le monde est là. Il y a les vendangeurs qui viennent chaque année, les employés du vignoble, les gens du village, les amis, les relations d'affaires[1]... C'est la trentième fête d'Éric comme vigneron et Éric espère en vivre encore autant !
Il pense à sa vie et il est fier. *Château Bellage* n'existait pas il y a trente ans. Il en a fait un vin dont la qualité est reconnue et appréciée « En Bourgogne, en France, en Europe et peut-être même dans l'univers », aime-t-il dire à ses clients.
Éric voit l'avenir en rose. Son vin a encore de belles années devant lui grâce au trio magique Flore, Thibault et Xavier.

1. Les affaires : activités économiques.

Mais où sont-ils ? Éric cherche sa fille des yeux. Soudain, il l'entend rire... vingt-deux ans, toujours de bonne humeur et toujours la première à faire la fête. Flore est petite et mince mais elle a réussi à s'imposer dans un métier où il y a une majorité d'hommes. Elle est même devenue indispensable pour le vignoble cette dernière année. Elle est *maître de chai*, et donc la première responsable de la fabrication du vin.
Thibault est assis à côté de Flore, comme toujours. Ils se connaissent depuis l'enfance car Éric a acheté les vignes au père de Thibault, en 1973. Ils vont bien ensemble même si Thibault mesure près d'un mètre quatre-vingt-dix et est fort comme un bœuf ! Malheureusement, Thibault n'a que dix-neuf ans, un peu trop jeune pour Flore... Thibault connaît la vigne comme personne : il passe ses journées dehors à travailler la terre, soigner les pieds de vigne et surveiller les raisins.
Éric voit Xavier s'approcher de Flore et forcer Thibault à lui laisser une place. Voilà un garçon parfait pour Flore : trente ans, des diplômes plein les poches[2], trois années passées en Californie à étudier les vins américains. Il s'occupe de commercialiser le *Château Bellage* et les ventes ont beaucoup augmenté depuis deux ans qu'il travaille avec Éric. Un beau CV et un jeune homme très sympathique. Mais il devrait faire plus de sport pour vraiment plaire à Flore.
« Avec Élisa en plus pour recevoir les clients et organiser les visites du vignoble, nous formons une belle équipe », se dit Éric, heureux. Et Élisa, où est-elle ? Éric se rend compte qu'il n'a pas vu sa femme depuis au moins une demi-heure. Il va

2. Plein les poches : en grande quantité.

bientôt faire son traditionnel discours et il veut qu'elle dise quelques mots aussi. Éric demande autour de lui. Personne ne sait où se trouve Élisa. Il sent soudain une angoisse naître dans son ventre. C'est idiot, il n'est certainement rien arrivé de grave. Mais Éric a reçu cinq lettres anonymes ces dernières semaines. Sans doute une plaisanterie idiote mais, depuis, Éric a peur quand quelque chose ne se passe pas comme prévu. Il passe de table en table :
- Vous n'avez pas vu Élisa ?
Personne ne sait et personne ne s'inquiète. « Elle reviendra bien, ton Élisa, elle ne peut pas être très loin », lui répond-on plusieurs fois. Éric commence à se sentir mal quand une vieille dame le rassure :
- Elle est allée chercher un pull dans sa chambre, elle avait un peu froid.
Mais Élisa n'est toujours pas revenue quand l'heure du discours arrive. Tant pis[3], Éric va commencer sans elle. Il prend un couteau et tape sur son verre. Le tintement[4] a du mal à se faire entendre parmi les rires et les conversations animées. Alors Éric pose son verre sur la table, monte sur sa chaise et crie :
- C'est l'heure de m'écouter !
Le silence se fait petit à petit.
- Avant de commencer, quelqu'un a-t-il vu Élisa ?
Tous s'amusent de l'inquiétude d'Éric. « Toujours aussi amou-

3. Tant pis : c'est dommage mais ce n'est pas grave.

4. Un tintement : bruit du couteau sur le verre.

reux à ton âge ? ». Éric sourit : « Ils ont raison, je m'inquiète trop facilement, et oui, je suis toujours amoureux. »
Éric prononce tout d'abord quelques mots de remerciements. Puis il fait le bilan des vendanges. La récolte a été excellente et le vin de cette année s'annonce exceptionnel. Il profite ensuite de la date particulière, ses trentièmes vendanges, pour raconter quelques étapes de la vie du vignoble *Château Bellage*. Éric est un bon orateur. Il dit quelques blagues quand ses paroles deviennent trop émouvantes[5].
- J'ai assez parlé, dit-il pour conclure. Amusez-vous bien mais n'oubliez pas : buvez avec modération et toujours du bon vin.
Toutes les tables applaudissent. Quelques « Hourra, vive le *Château Bellage !* » retentissent. Éric sourit mais il a toujours peur. Il sent qu'il est arrivé quelque chose. Il sort de la cave et va au château.
- Élisa ?
Il traverse plusieurs pièces, passe par la cuisine et le salon, monte au premier étage et se dirige vers leur chambre. Il ouvre la porte. La chambre est vide.
- Élisa ? Élisa ?
Il redescend au premier étage et va dans son bureau. Il ouvre la porte et allume la lumière. Personne. Il va continuer ses recherches quand son regard est attiré par une enveloppe sur son bureau. Il la prend et l'ouvre : des lettres de toutes les couleurs découpées dans des journaux sont collées sur une feuille blanche. Encore une lettre anonyme !

5. Émouvant : qui provoque de l'émotion.

« Nous avons enlever ta femme. Nous t'appellerons demain matin à 8 heures. D'ici là : silence. Sinon nous la tuons ».

Activités chapitre un

1. Vrai faux ? Coche et justifie ta réponse.

	VRAI	FAUX
a. L'histoire se déroule pendant les vendanges.	❑	❑
b. Flore, Thibault et Xavier aiment leur métier et le font très bien.	❑	❑
c. Élisa assiste au discours de son mari.	❑	❑
d. Éric veut arrêter de produire du vin.	❑	❑
e. La femme d'Éric a été enlevée.	❑	❑

2. Réponds aux questions.

a. Pourquoi Éric s'inquiète-t-il quand il ne voit pas sa femme ?

....

b. Comment les invités réagissent-ils à cette inquiétude ?

....

c. Quelles sont les relations entre Flore, Xavier et Thibault ?

....

d. La situation du vignoble *Château Bellage* est-elle bonne ou mauvaise ?

....

3. La lettre... Réponds aux questions.

a. Vois-tu une faute d'orthographe dans la lettre anonyme ?
Si oui, laquelle ?

....

b. Comment réagirais-tu à la place d'Éric ? Parlerais-tu à quelqu'un ?

....

c. À part une lettre, qu'est-ce qui peut être *anonyme* ?

....

4. Dans le texte, on dit que Thibault est *fort comme un bœuf*. Retrouve les expressions en plaçant le bon animal dans la phrase.

oie - agneau - cochon - éléphant - poule

a. On dit d'une personne stupide qu'elle est bête comme une ....

b. Manger salement, c'est manger comme un ....

c. Quelqu'un de gentil est doux comme un ....

d. Se souvenir de tout, c'est avoir une mémoire d' ....

e. Quand on a froid ou peur, on a la chair de ....

5. Lequel de ces slogans contre l'abus d'alcool préfères-tu ? Explique pourquoi.

a. À consommer avec modération.

b. Tu t'es vu quand t'as bu ?

c. Un verre ça va, trois verres bonjour les dégâts.

....

....

....

....

CHAPITRE DEUX

DIMANCHE 4 OCTOBRE, 7 H 30

Éric Bellage regarde sa montre. Il attend l'appel des ravisseurs[1] d'Élisa et les minutes sont longues. Flore aussi est impatiente. Elle n'arrive pas à rester assise et marche de long en large[2] dans le bureau de son père. Éric a demandé à Xavier et à Thibault d'être là aussi.
– Tu devrais appeler la police, insiste Xavier pour la deuxième fois.
– Non, NON et NON. Ils vont la tuer sinon. Nous sommes les seuls à savoir et je vous interdis d'en parler.
À huit heures pile, le téléphone sonne. Un homme parle avec une voix très aiguë, sans doute déformée par un appareil.

1. Un ravisseur : personne qui enlève quelqu'un.
2. Marcher de long en large : marcher en faisant des allées et venues (par exemple, dans une pièce).

Éric ne se laisse pas impressionner :
- Je veux parler à ma femme.
Élisa a une voix fatiguée mais les ravisseurs ne lui ont pas fait de mal. Elle demande à Éric de tout faire pour la sortir de là. Puis elle se met à pleurer. Éric promet qu'ils se reverront bientôt et répète plusieurs fois qu'il l'aime très fort. Flore aussi veut parler avec sa mère mais le ravisseur a déjà repris le téléphone.
- Fini de discuter en famille. Nous voulons un million d'euros

avant jeudi prochain, vingt heures. Sinon, nous tuons ta femme.
- Vous êtes fou ! Je n'ai pas cet argent.
- Menteur ! Regarde un peu autour de toi ! Un million, jeudi, avant vingt heures. Je te recontacte mercredi à midi.
- Mais je...
L'homme a raccroché. Éric se prend la tête dans les mains. Flore essaie de rassurer son père. Xavier et Thibault pensent tous les deux la même chose : ils ne reverront jamais Élisa sans l'aide de la police. Thibault essaie encore de convaincre Éric. Mais la réponse ne change pas :
- Je vous ai dit NON ! Nous allons régler ce problème tout seuls. Si on vous demande quelque chose, dites qu'Élisa est partie quelques jours chez sa mère. Et pour l'argent... je ne sais pas comment faire... Un million d'euros, ils sont fous...
- Et bien informés, continue Xavier. Il a dit « Regarde autour de toi » : un million, c'est à peu près la valeur du vignoble. Mais, impossible de le vendre en trois jours, c'est trop court.
- Mais si, Xavier, tu as raison. Je vais vendre *Château Bellage* et, en plus, je sais déjà à qui. Vous vous souvenez d'Alain Groguin ?
Thibault ne voit pas. Mais Flore et Xavier se rappellent très bien de la visite d'Alain Groguin, il y a environ six mois. L'homme s'occupe des affaires, en Europe, d'un milliardaire[3] Chinois, Yao Li, grand amateur de vin et qui veut investir son argent en Europe. Son patron voulait acheter *Château Bellage* pour deux millions d'euros.
- J'ai refusé, bien sûr, dit Éric, je ne voulais pas vendre. Mais

3. Un milliardaire : personne extrêmement riche, qui possède des millions.

aujourd'hui... je dois encore avoir son numéro de téléphone. Éric retrouve la carte de visite d'Alain Groguin et l'appelle. L'homme met quelques secondes à se souvenir d'Éric. Il est étonné mais heureux de l'entendre. Éric explique qu'il a des problèmes familiaux et qu'il doit vendre son vignoble.
- J'en suis désolé pour vous, dit Alain Groguin. Mais monsieur Yao Li sera très heureux d'apprendre cette nouvelle. Son bras droit[4], monsieur Xian Pong est justement avec moi cette semaine. Nous pourrions passer vous voir dans les jours qui viennent.
- Que pensez-vous de demain ? demande Éric. Je voudrais vendre le plus vite possible.
- Parfait... vous allez vite en affaires quand vous vous décidez.
Le rendez-vous est pris pour le lendemain. Éric se sent un peu mieux. Toute la nuit, il a eu peur de ne jamais revoir Élisa et ce coup de téléphone lui redonne un peu espoir[5]. Flore, elle, est plus inquiète :
- Tu peux vraiment lui faire confiance ?
- Je n'ai pas le choix. Et Alain Groguin n'est pas désagréable...
Éric a dit cela pour rassurer sa fille. Il ne connaît pas bien cet homme et il a même eu une impression étrange pendant le coup de téléphone... comme si Alain Groguin s'attendait à son appel.
Éric se lève et se dirige vers un coffre-fort[6] installé dans le mur. Il en sort une enveloppe qu'il donne à sa fille. Flore l'ouvre et découvre cinq lettres anonymes.

4. Le bras droit : le collaborateur le plus proche.
5. L'espoir : sentiment qui pousse à espérer.
6. Un coffre-fort : armoire en métal, très solide où on garde des objets de valeur.

- Je les ai reçues ces derniers mois. Une lettre par mois.
- Pourquoi tu ne nous as rien dit ?
- C'est peut-être simplement une plaisanterie.
Xavier regarde les lettres avec attention. Il voit immédiatement un point commun entre toutes les lettres :
- « Tu as acheter, nous avons décider, tu as manquer... ». Il y a dans chaque lettre la même faute d'orthographe : un infinitif à la place d'un participe passé.
- Comme pour l'enlèvement d'Élisa : « Nous avons enlever. » Le même auteur ? demande Thibault.
- Sans doute, répond Flore. Mais pourquoi toutes ces lettres avant l'enlèvement ?
Au même moment, la sonnerie de son téléphone annonce à Éric l'arrivée d'un mail.
- C'est Alain Groguin. Il confirme que son patron est très intéressé et que lui aussi veut aller vite.
Éric relit le texte du message une deuxième fois et s'arrête sur une faute d'orthographe. « Monsieur Li a accepter ». Il préfère ne rien dire sinon Xavier et Thibault vont vouloir appeler la police. C'est sans doute une coïncidence. Alain Groguin n'est certainement pas le seul Français à faire des fautes d'accord au passé composé.

II Activités chapitre deux

1. Trouve, dans le texte, les phrases qui indiquent…

a. le montant de la rançon demandée par les ravisseurs.

……………………………………………………………………………………………………

b. comment Éric compte trouver un million d'euros.

……………………………………………………………………………………………………

c. ce que feraient Thibault et Xavier pour retrouver Élisa.

……………………………………………………………………………………………………

d. la relation entre Yao Li et Alain Groguin.

……………………………………………………………………………………………………

2. De qui s'agit-il ? Trouve le personnage et explique le contexte.

a. Il regarde sa montre : ……………………………………………………………

……………………………………………………………………………………………………

b. Elle veut parler avec sa mère : ……………………………………………………

……………………………………………………………………………………………………

c. Il essaie de convaincre Éric : ……………………………………………………

……………………………………………………………………………………………………

d. Il confirme que son patron est intéressé : ……………………………………

……………………………………………………………………………………………………

3. Que veut dire le ravisseur quand il dit « Regarde autour de toi ? ».

....

....

4. Xian Pong est le *bras droit* de monsieur Yao Li, c'est-à-dire, son collaborateur le plus proche. Complète les expressions suivantes avec le mot qui correspond et donne leur signification.

tête - yeux - doigts - cheveux - langue - nez

a. Ne pas avoir les .... dans sa poche.

....

b. Être .... en l'air.

....

c. Donner sa .... au chat.

....

d. Être comme les deux .... de la main.

....

e. Avoir quelqu'un dans le ....

....

f. Couper les .... en quatre.

....

5. Écris une lettre anonyme en utilisant les mots suivants.

nous - la tuons - avons - la police - euros - femme – rançon - un - enlevé - n'appelle - sinon - pas - d' - nous - voulons – million - prochain - avant - - d' - jeudi - nous - une - ta

....

....

....

Bilan des chapitres 1 et 2

1. Dans ces deux chapitres, qu'apprend-on sur les différents personnages ? Explique en deux phrases.

a. Éric : ....

....

b. Flore : ....

....

c. Xavier : ....

....

d. Alain Groguin : ....

....

2. Quelle est la situation à la fin du premier chapitre ?

....

....

....

3. Comment la situation évolue-t-elle dans le deuxième chapitre ?

....

....

....

4. La situation est-elle simple ou compliquée ? Explique pourquoi.

....

....

CHAPITRE TROIS

MARDI 6 OCTOBRE, 10 H

Alain Groguin arrive au volant d'une impressionnante voiture. Thibault murmure à l'oreille de Xavier : « Dans les films, seuls les chefs d'état et les gangsters ont ce type de 4 x 4. S'il n'est pas président... ».
- Ouais... mais tous les conducteurs de 4 x 4 ne sont pas des voyous[1]... il ne faut pas exagérer... Tout le monde ne se déplace pas en VTT, comme toi...
Éric s'avance vers la voiture. L'homme d'affaires a un grand sourire. Il a l'air content de revoir le vignoble. Il présente monsieur Xian Pong et précise que ce dernier ne parle pas un mot de français. Mais Alain Groguin parle le chinois et traduira le plus important.
- Nous avons ce qu'il lui faut : des audioguides dans une dizaine de langues, dont le chinois. C'est Élisa, ma femme, qui a mis tout ça au point pour les visites du vignoble.
- Mais c'est vrai, vous avez une femme charmante. Aurons-nous le plaisir de la voir ?

1. Un voyou : personne peu recommandable.

Éric se sent tout à coup envahi par une vague d'émotion. Il est incapable de répondre. Flore le fait à sa place.

- Elle est partie quelques jours chez ma grand-mère. Elle va rentrer ce week-end.

- Quel dommage ! Vous lui donnerez le bonjour de ma part et de celle de monsieur Yao Li.

Éric se reprend[2] et propose de faire le tour des vignobles. Flore va chercher un audioguide et le donne à Xian Pong. Celui-ci incline la tête pour remercier et installe le casque sur ses oreilles. Le groupe se met alors à marcher vers les vignes.

La journée est magnifique. Éric adore faire visiter son domaine[3]. Il aime se promener dans les vignes et être en pleine nature. Mais son esprit est ailleurs aujourd'hui. Il n'a pas envie de parler et demande à Thibault de le faire à sa place. Le jeune homme explique comment on plante les pieds de vigne, comment et quand on les taille[4], comment on les protège contre les maladies. Flore demande de temps en temps à Xian Pong si l'audioguide fonctionne. Il répond toujours en inclinant la tête et en levant le pouce de la main droite. Tout va bien. Le groupe arrive ensuite dans les caves. C'est au tour de Flore de parler de la fabrication du vin, depuis les vendanges jusqu'à la mise en bouteilles. Elle laisse ensuite la parole à Xavier qui explique la partie commerciale.

Éric écoute tout attentivement. Il connaît tout ça par cœur mais il est toujours aussi passionné et a le sentiment

2. Se reprendre : redevenir maître de soi.

3. Un domaine : terre possédée par un propriétaire.

4. Tailler : couper.

d'apprendre toujours quelque chose de nouveau. Flore, Xavier et Thibault forment vraiment un trio extraordinaire. Ces trois jeunes aiment leur métier et le font très bien. Que vont-ils devenir après la vente ?
- Papa ! Papa ! Hou hou... nous avons fini.
- Oh, désolé, je pensais à... enfin... ah oui, nous proposons toujours aux visiteurs de les prendre en photo devant ce très vieux tonneau[5]. Il date de 1783 et peut contenir neuf cents litres de vin.
- Pas de photos, répond Alain Groguin d'une manière agressive.
La réaction de l'homme d'affaires surprend tout le monde. Alain Groguin s'en rend compte et dit pour se justifier :
- Monsieur Xian Pong ne veut pas de photos. En Chine, cela porte malheur[6] de se faire prendre en photo devant un tonneau. Si vous le permettez, nous allons téléphoner à monsieur Li. Il y a peut-être un endroit tranquille d'où je peux le faire ?
Éric conduit les deux hommes dans son bureau. Les jeunes restent seuls.
- Une photo qui porte malheur... ? jamais entendu parler !
- Ils n'ont posé aucune question.
- Je me demande si le vin les intéresse vraiment.
Un quart d'heure plus tard, les deux hommes repartent dans leur grosse voiture.
- Alors ? demande Flore à son père.
- Leur patron réfléchit. Il va m'envoyer un mail dans une heure.

5. Un tonneau : grand récipient cylindrique en bois.

6. Porter malheur : avoir une influence néfaste, maléfique.

- Ils n'ont pas demandé à goûter le vin ? demande Thibault. Drôles d'acheteurs...
Éric aussi trouve cela étrange. Mais il ne veut pas en parler et retourne dans son bureau. Il en ressort une heure plus tard pour annoncer que monsieur Yao Li achète le domaine.
- Un million d'euros. Moins que sa première proposition. Mais l'argent sera sur mon compte en banque dès demain. C'est parfait.
Personne ne réagit.
- Qu'est-ce qu'il y a ? demande Éric.

- Tu ne trouves pas cela bizarre ? Les lettres anonymes, l'enlèvement de maman...
- ...et la proposition du Chinois égale à la somme demandée par les ravisseurs ? ajoute Thibault.
- Vraiment étrange..., conclut Xavier.
Éric explose :
- Et alors ? Vous avez une autre idée ? Vous avez un million d'euros à me donner pour sauver Élisa ? L'un de vous trois a autre chose à proposer ? Et ne répondez pas « appeler la police ».
Puis il s'excuse et essaie de détendre l'atmosphère.
- Lisez son mail si vous voulez ! Il n'y a pas de faute d'orthographe !
Xavier et Flore regardent l'écran du téléphone portable. Le texte est rédigé au présent. Pas de risque de faute sur un passé composé... Mais ils n'osent rien dire. Flore embrasse son père :
- Tu as pris une bonne décision, papa, et nous sommes avec toi.
Puis elle prend l'audioguide que le Chinois a laissé sur le bureau et va le ranger avec les autres. Elle se rend alors compte qu'elle s'est trompée. Elle lui a donné un vieux modèle, un modèle avec une seule langue enregistrée : le français ! Pourquoi Xian Pong n'a-t-il rien dit ?

Activités chapitre trois

1. Classe les phrases par ordre chronologique. Explique leur contexte.

a. « Pourquoi Xian Pong n'a-t-il rien dit ? »

....

b. « Elle est partie quelques jours chez ma grand-mère. »

....

c. « Ils n'ont pas demandé à goûter le vin ? »

....

d. « C'est au tour de Flore de parler de la fabrication du vin. »

....

e. « Il s'excuse et essaie de détendre l'atmosphère. »

....

2. Décris les attitudes et imagine les pensées des personnages dans les situations suivantes.

a. Alain Groguin et Xian Pong pendant la visite des vignes.

b. Thibault en voyant la voiture d'Alain Groguin.

c. Éric pendant les explications du trio magique.

d. Flore en rangeant l'ancien modèle d'audioguide.

3. Vrai ou Faux ? Justifie ta réponse.

	VRAI	FAUX
a. L'audioguide ne contient pas le Chinois.	❑	❑
b. C'est toujours Thibault qui explique la culture de la vigne lors des visites.	❑	❑
c. Alain Groguin pose de nombreuses questions sur le vignoble.	❑	❑
d. Finalement, Yao Li ne veut pas acheter le domaine.	❑	❑

4. Que penses-tu de l'attitude d'Alain Groguin et de Xian Pong ? D'après toi, qu'est-ce que ça signifie ?

....

....

5. Retrouve les adjectifs employés dans le texte pour parler des personnes ou choses suivantes.

a. La voiture d'Alain Groguin : ....

b. L'audioguide : ....

c. La journée : ....

d. L'épouse d'Éric : ....

6. On dit que ça porte malheur... oui, mais quoi ? Entoure la bonne réponse.

a. Ouvrir *un parapluie*   *une bouteille* dans une maison.

b. Passer sous *un parasol*   *une échelle.*

c. Voir passer devant soi un *chien blanc*   *chat noir.*

d. Être *treize*   *douze* à table.

7. Dans ton pays, qu'est-ce qui porte malheur ?

....

....

CHAPITRE QUATRE

MERCREDI 7 OCTOBRE, 10 H DU MATIN

Éric Bellage est assis à son bureau, face à Alain Groguin et Xian Pong. Deux ordinateurs sont installés sur la table. Éric surveille son compte en banque sur le premier écran. Monsieur Li est connecté en visioconférence depuis Pékin sur le deuxième.
- Ça y est. L'argent vient d'arriver sur mon compte, dit soudain Éric.
Alain Groguin lui tend un contrat. La signature de Yao Li est déjà sur chaque page. Éric n'a jamais imaginé vendre son vignoble. Il ne veut pas le faire mais il doit sauver sa femme. Il prend son stylo et signe. L'écran d'ordinateur retransmet l'image de monsieur Li qui sourit et ouvre une bouteille de Champagne.
- Une affaire vite réglée, conclut Alain Groguin, et satisfaisante pour tout le monde. Merci, monsieur Bellage. Nous allons vous laisser maintenant.
Éric accompagne les deux hommes à leur voiture.
- Mes amitiés à votre femme, dit Alain Groguin avant de s'installer derrière le volant.
La voiture disparaît. Éric s'assoit par terre. *Château Bellage*

n'est plus à lui. Mais il ne doit pas penser à cela. Les ravisseurs d'Élisa vont appeler dans deux heures. Il doit être fort pour la suite.
Thibault voit le 4 x 4 noir quitter le domaine et prendre la route qui mène à Nuits-Saint-Georges. Il attend déjà depuis vingt minutes, son VTT à côté de lui. Il monte sur son vélo et coupe à travers les vignes. Il connaît parfaitement le terrain et ce raccourci[1] lui permet de suivre la voiture. Il accélère et manque de tomber[2] deux fois de suite. Il arrive au centre de la petite ville quelques minutes seulement après Alain Groguin. La voiture est stationnée devant la gare. Thibault accroche son vélo à un poteau et entre dans la gare. Il aperçoit les deux hommes en dessous du panneau des départs. Alain Groguin tape sur l'épaule du Chinois et lui donne une enveloppe. Les deux hommes se serrent la main puis se séparent. Alain Groguin se dirige vers le *Café de la gare* et Xian Pong vers le marchand de journaux. Il s'achète un magazine et plaisante avec la marchande. Xian Pong parle très bien le français ! Il va ensuite sur le quai numéro trois. Un train en direction de Dijon vient d'y entrer.
Thibault observe ensuite Alain Groguin à travers la vitre du café. Il est assis à une table et téléphone. Thibault en profite pour appeler Flore :
- Tu avais raison, Xian Pong parle très bien le français. Il est en train de prendre un train pour Dijon. Groguin lui a donné une enveloppe, comme s'il le payait pour quelque chose...
- Je suis de plus en plus inquiète. Mais papa ne veut toujours rien savoir. Et il a bien reçu un million d'euros sur son compte.

1. Un raccourci : chemin plus court que le chemin ordinaire.
2. *Il manque de tomber* : il est sur le point de tomber mais ne tombe pas.

Tu connais beaucoup d'escrocs[3] qui payent leurs victimes ?
- Et les ravisseurs ?
- On attend leur appel. Je te laisse, papa m'appelle.
Flore retrouve son père dans son bureau au moment où le téléphone sonne. C'est la même voix aiguë qui parle.
- Vous avez l'argent ?
- Oui.
- La moitié doit être virée[4] sur un compte en banque. Le reste doit nous être apporté en billets de 10, 20, 50, 100 et 500 euros demain, à 15 h 30. Je vous appelle juste avant.
- Mais comment je vais faire pour avoir ces billets et faire ce virement ?
- Ce n'est pas notre problème.
Éric a juste le temps de noter les références du compte en banque. La conversation s'arrête. Il compose le numéro de son banquier et prend rendez-vous à 14 heures. Tout doit aller très vite maintenant.
Pendant ce temps, Thibault observe toujours Alain Groguin. Ce dernier paie son café et se lève. Il monte dans sa voiture et met le moteur en marche. À ce moment-là, une voix interpelle Thibault.
- Salut Thib, tu pars en voyage ?
C'est Grégoire Vernier, un copain d'enfance qui participe tous les ans aux vendanges. Il vient d'avoir son permis et est fier de montrer sa nouvelle moto.
- Tu tombes bien, Greg. Suis le 4 x 4 noir, mais sans te faire voir, lui dit Thibault en montant sur la moto.
- Tu te prends pour James Bond ?

3. Un escroc : personne qui trompe les gens pour leur prendre quelque chose.
4. Virer de l'argent : faire passer de l'argent d'un compte en banque à un autre.

- Presse-toi, crie Thibault.
Alain Groguin conduit vite sur plusieurs kilomètres. Grégoire le suit en restant suffisamment loin pour ne pas être repéré. La voiture prend ensuite un petit chemin de terre. Thibault connaît bien l'endroit. Le chemin arrive dans la forêt et mène à une maison abandonnée. Il venait souvent y jouer quand il était petit. Il tape sur l'épaule de Grégoire pour qu'il s'arrête.
- Merci. Je continue à pied.
- Qu'est-ce qui se passe ?
- Je ne peux pas te le dire.
- Tu es bien mystérieux. Appelle-moi si tu as besoin. Salut.
Thibault marche une quinzaine de minutes avant d'apercevoir la maison. Le 4 x 4 et deux autres véhicules sont garés devant. Deux hommes fument une cigarette dehors. L'un d'eux porte un revolver à sa ceinture. Alain Groguin apparaît à une fenêtre et les appelle : « Tout le monde à l'intérieur, on doit préparer l'opération de demain ».
Thibault fait le tour de la maison en restant caché par les arbres. Il s'approche ensuite du mur de droite de la maison. Il regarde par une toute petite fenêtre et se retient de crier : Élisa est assise sur un lit, les pieds et les mains attachés. Il en sait assez, il doit repartir et prévenir Éric et la police. Il fait quelques pas en arrière quand son téléphone se met à vibrer.

C'est un texto de Flore : « Où es-tu ? Rançon[5] demain à 15 h ». Il commence à taper une réponse quand il reçoit un coup violent sur la tête et perd connaissance.

5. Une rançon : prix qu'on exige pour libérer une personne qu'on garde prisonnière.

Activités chapitre quatre

1. Réponds aux questions.

a. Comment réagit Yao Li à la signature du contrat ?

....

b. Qu'est-ce que Thibault fait quand Alain Groguin quitte le domaine ?

....

c. Que fait Alain Groguin quand il est à la gare ?

....

d. Qui est Grégoire Vernier ? Quel rôle joue-t-il dans ce chapitre ?

....

2. Thibault. Vrai ou faux ? Coche et justifie ta réponse.

	VRAI	FAUX
a. Thibault découvre que Xian Pong parle français.	❑	❑
b. Il vole une moto pour aller plus vite.	❑	❑
c. Il trouve l'endroit où Élisa est emprisonnée.	❑	❑
d. Il prévient Éric et la police.	❑	❑

3. Élisa retrouvée. Raconte tout ce que tu apprends sur l'emprisonnement d'Élisa.

....

4. Dans quelles circonstances les mots suivants apparaissent-ils dans l'histoire ?

a. Un poteau.

....

b. Une maison abandonnée.

....

c. Un revolver.

....

d. Une moto.

....

e. Un ordinateur.

....

5. Charade.

Mon premier est un petit animal rongeur, à la longue queue, un peu plus gros qu'une souris : ....

Mon deuxième est la première personne du singulier du verbe *vivre* (présent de l'indicatif) : je ....

Mon troisième est le mot manquant dans cette phrase : *À la maison, nous sommes 3 enfants, j'ai un frère et une* ....

Mon tout est une personne que enlève quelqu'un de force :

Un ....

Bilan des chapitres 3 et 4

1. Dans les chapitres 3 et 4, quel grand changement s'est produit dans la vie d'Éric ? À ton avis, quel est son état d'âme ?

....

....

....

2. Quels sont les éléments qui accusent Alain Groguin et Xian Pong à la fin du chapitre 3 ?

....

....

....

3. Reste-t-il un doute sur leur culpabilité à la fin du chapitre 4 ?

....

....

....

4. Imagine une suite si Thibault ne recevait pas de coup sur la tête.

....

....

....

5. D'après toi, que va-t-il arriver à Thibault et à Élisa ?

....

....

....

CHAPITRE CINQ

JEUDI 8 OCTOBRE, 14 H 30

Éric met la valise qui contient les billets de banque dans le coffre de sa voiture. Il a fait le matin même le virement vers une banque à l'étranger et a récupéré l'argent liquide[1]. Son banquier n'a pas posé trop de questions. Les ravisseurs ont accepté que Flore accompagne son père. Ils indiqueront le chemin à suivre par textos. Flore les lira pendant qu'Éric conduit. Xavier, lui, reste au château. Flore lui transfèrera tous les textos. Il appellera la police immédiatement si le moindre problème arrive.
- Premier texto, dit Flore, d'un ton angoissé. « Direction Nuits-Saint-Georges ».
Éric démarre. Il se sent nerveux. Il a peur et il sait que sa fille a le même sentiment mais ils ne parlent pas. En plus, Flore s'inquiète aussi pour Thibault. Il n'a pas répondu à son mes-

1. Argent liquide : billets de banque et pièces de monnaie.

sage de la veille et il n'a pas donné signe de vie. Où peut-il être ?
Les ordres s'enchaînent[2] pendant une demi-heure : « Route D 35, direction Le Moulin de Bertheaux », « D 109, dir. Collonge-lès-bevy » ... jusqu'à celui-ci : « À gauche vers la carrière[3] de Comblanchien. Stop à l'entrée. »
- Cette route est fermée depuis deux ans. Comme la carrière. Plus personne n'y travaille. Ils ont trouvé l'endroit le plus discret de la région.

2. S'enchaîner : se suivre.

3. Une carrière : terrain d'où on extrait des pierres.

- Et s'ils nous tuaient, toi, maman et moi ? Personne ne peut venir nous sauver ici.
- Flore, écoute-moi... je te promets que, dans quelques minutes, nous serons de nouveau ensemble, toi, ta mère et moi.
La route débouche cinq cent mètres plus loin sur un immense espace vide. C'est l'entrée de l'ancienne carrière. Éric arrête la voiture et éteint le moteur. Son cœur bat très fort.
« Valise à côté panneau Danger chute de pierres, et remonte dans voiture ».
Flore aperçoit le panneau à cent mètres, sur la droite.
- Là-bas, dit-elle.
- Donne-moi le téléphone. Tu attends dans la voiture.
Éric embrasse sa fille. « Tout va bien se passer ». Il descend du véhicule, ouvre le coffre et prend la valise. Il marche lentement, arrive au panneau et dépose la valise. Il regarde discrètement autour de lui mais ne voit personne. Il remonte dans la voiture.
Il ne se passe rien pendant dix minutes.
Puis une voiture apparaît à deux cent mètres en face d'eux. Elle s'avance lentement et s'arrête à quelques mètres de la valise. Un homme en descend. Il est habillé tout en noir et porte une cagoule[4]. Il ouvre la valise et compte les billets. Il fait un signe de tête en direction de sa voiture : tout est OK.
Éric reçoit un nouveau texto : « Tu as sauver ta femme. Elle sera chez toi dans une heure ».
- Mon Dieu, la faute d'orthographe, hurle Éric. C'est Groguin !
Il sort de sa voiture comme un fou et se précipite vers

4. Une cagoule : sorte de bonnet qui recouvre la tête et le visage, avec des trous pour les yeux.

l'homme à la cagoule.
- Où est ma femme ? Où est Élisa ?
Flore descend à son tour et essaie d'arrêter son père. Mais celui-ci pousse l'homme qui tombe par terre. Éric le frappe de ses deux poings. Trois ravisseurs sortent de la voiture, se jettent sur Éric et le retiennent.
- Calme-toi et tu reverras ta femme.
- Lequel d'entre vous est Alain Groguin, espèces de...
Le bruit d'un hélicoptère couvre la fin de la phrase d'Éric. Les ravisseurs veulent s'échapper mais l'appareil est déjà au-dessus de leur voiture. Trois grosses jeeps arrivent en même temps à grande vitesse. Des hommes en uniforme en sortent et attrapent les ravisseurs. Tout s'est passé en moins d'une minute et sans coup de feu[5].
Les policiers enlèvent les cagoules des quatre hommes. Alain Groguin est bien parmi eux.
- Où est Élisa ? crie Éric.
- Nous ne dirons rien, répond calmement Alain Groguin. C'est la vie d'Élisa Bellage contre notre liberté. Si nous ne téléphonons pas à nos amis avant quinze heures quinze, ils la tueront. À vous de décider.
- Il ment, affirme le chef des policiers.
Mais Alain Groguin menace à nouveau.
- Ils tueront aussi Thibault. Un jeune homme sympathique mais qui s'occupe de ce qui ne le regarde pas. Quinze heures quinze, pas une minute de plus.
Les quatre ravisseurs sont conduits dans un des véhicules de la police. Éric est très énervé et s'adresse au capitaine :

5. Un coup de feu : détonation.

- Qu'est-ce que vous faites là ? Ils vont tuer Élisa et Thibault.
- Calmez-vous. Nous savons qui ils sont. C'est une bande très bien organisée et avec beaucoup de moyens. Vous n'êtes pas leur première victime. Ils agissent toujours de la même façon : lettres anonymes de menace, enlèvement, chantage, vente d'une maison ou d'une entreprise, rançon... Du classique. Nous sommes sur leurs traces depuis quatorze mois.
- Peu m'importe, ce qu'il faut faire, c'est sauver ma femme ! crie Éric.
Le policier promet de la retrouver. L'hélicoptère survole déjà les environs, des barrages ont été installés sur les routes, ses hommes fouillent[6] chaque mètre carré de la région. Mais il faut faire vite. Dans dix minutes, les complices d'Alain Groguin vont tuer Élisa et Thibault.
Flore prend son téléphone pour appeler Xavier. Elle lui explique la situation. Un « BIP-BIP » lui annonce un appel. Le nom du correspondant s'affiche sur l'écran : Grégoire Vernier. Elle le rappellera plus tard, il y a plus urgent pour l'instant. Elle parle encore deux minutes avec Xavier, puis va retrouver son père.

6. Fouiller : explorer avec attention.

Activités chapitre cinq

1. Vrai ou Faux ? Justifie ta réponse.

	VRAI	FAUX
a. La valise qu'Éric va donner aux ravisseurs contient de l'argent liquide.	❑	❑
b. Les ravisseurs donnent leurs instructions oralement.	❑	❑
c. Éric doit déposer la valise près d'une barrière.	❑	❑
d. Une voiture arrive. À bord, il y a Élisa.	❑	❑

2. Choisis la(les) bonne(s) réponse(s).

a. Pour remettre la rançon, Éric part avec...
1. Xavier et Flore.
2. Flore.
3. Flore et un policier en civil.

b. À la carrière, Éric reconnaît Alain Groguin...
1. parce qu'il a vu la cagoule dans sa voiture, au château.
2. parce que Groguin a fait la même faute d'orthographe dans le texto.
3. parce qu'il reconnaît sa voix.

c. Éric s'énerve avec le policier parce qu'il...
1. pense que la police devrait agir plus rapidement.
2. n'aime pas la police.
3. pense que, sans les policiers, Élisa serait déjà libre.

3. À ton avis... Réponds aux questions.

a. Les policiers ont-ils réussi ou raté leur intervention ?

....

b. Les ravisseurs ont-ils choisi le bon endroit pour la remise de la rançon ?

....

c. Quelle est la méthode des ravisseurs pour gagner de l'argent ?

....

d. Que veut dire Grégoire Vernier à Flore ?

....

4. Connais-tu l'écriture utilisée dans les textos ?

a. J'ai	•	•	1. bi1
b. Aime	•	•	2. koi 2 9 ?
c. J'étais	•	•	3. g
d. Beaucoup	•	•	4. c
e. Longtemps	•	•	5. gt
f. Quoi de neuf ?	•	•	6. bcp
g. Bien	•	•	7. m
h. C'est	•	•	8. lgtps

5. Écris un texto en utilisant le maximum de mots de l'activité 4.

....

....

....

....

CHAPITRE SIX

JEUDI 8 OCTOBRE, 15 H 05

Thibault a reçu un coup violent sur la tête et il a encore mal. Il regarde sa montre. La rançon devait être remise à 15 h. Pourquoi sont-ils toujours prisonniers ? Élisa est assise à côté de lui. Elle est très fatiguée et elle a peur. Thibault se lève et regarde par la petite fenêtre. Les ravisseurs embarquent[1] du matériel dans leurs voitures. Ils sont nerveux et se donnent des ordres en criant. Thibault comprend que quelque chose ne se passe pas comme prévu. Il colle son oreille contre la porte en bois. Il entend la conversation de l'autre côté : « Des nouvelles ? Aucune. Qu'est-ce qu'on fait ? Ce qui est prévu : si pas de nouvelles à 15 h 15, on les tue. Il

1. Embarquer : mettre à l'intérieur.

est 15 h 10. Prépare les bidons d'essence[2], il faut en finir. »
- Ils vont nous tuer. Il faut s'enfuir.
Élisa panique. Thibault tente de la calmer. Il n'a pas de plan et aucune idée. Mais s'ils ne font rien, dans cinq minutes, ils sont morts.
Pendant ce temps, le capitaine de police dirige les opérations de recherches depuis l'ancienne carrière. Éric et Flore se sentent inutiles. Flore regarde son téléphone. Elle voudrait tellement parler à sa mère. Une alerte la prévient d'un message non lu dans sa messagerie. Sans doute Grégoire Vernier. Elle hésite et décide de l'écouter.
« Salut Flore. Le portable de Thibault est coupé. Et comme il jouait aux espions du côté de la route des Coteaux hier, je trouve ça bizarre. Mais tu joues peut-être aussi au même jeu ? Appelle-moi. »
- CAPITAINE ! hurle Flore.

Thibault a pu défaire les cordes qui attachaient ses pieds et ses mains. Il termine de libérer Élisa quand ils entendent une clé dans la serrure de la porte.
- Assieds-toi sur le lit et ne bouge pas, dit-il à Élisa.
Puis il se couche par terre.
Un ravisseur entre dans la pièce.
- Encore endormi ! J'ai tapé un peu fort sur sa tête peut-être.
Il s'approche de Thibault. Celui-ci lui envoie alors un énorme coup de pied dans la gorge. L'homme tombe par terre. Thibault se lève, hésite deux secondes et... PAF ! il frappe de toutes

2. Un bidon d'essence : récipient en métal ou en plastique où on met de l'essence.

ses forces avec son pied dans le ventre du ravisseur avant de prendre son revolver.
- Et maintenant ? demande Élisa.
- On va sortir et courir.
- Où ?
- Droit devant nous.
- C'est ton plan ?
Thibault sourit. Oui, c'est son plan.
Il n'a rien trouvé de mieux.
- Il est parfait, dit Élisa pour se donner du courage.
Ils traversent deux pièces avant de trouver une porte qui donne sur l'extérieur.
- Hé ho, qu'est-ce que vous faites là ?
Thibault se retourne. L'homme n'a pas d'arme. Thibault le menace avec le revolver :
- Pas un mot, sinon...
- ALERTE, ILS S'ENFUIENT, crie l'homme.
Thibault lève le revolver et tire trois fois. Puis il prend la main d'Élisa et ils se mettent tous les deux à courir le plus vite possible. Les ravisseurs les poursuivent. Quatre coups de feu retentissent. Thibault et Élisa se couchent par terre. « Ça va ? », « Ça va ! ». Ils se relèvent et reprennent leur fuite. Le pied gauche d'Élisa heurte[3] une grosse pierre. Elle tombe et entraîne Thibault dans sa chute. Un ravisseur est à moins de cinquante mètres. Il tire sur eux. Thibault se couche sur Élisa et l'entraîne dans la pente.

3. Heurter : percuter, taper dans.

Ils roulent sur une trentaine de mètres avant de se relever. Ils sont essoufflés[4] mais il faut courir encore et encore. Ils arrivent enfin sur la route. Ils entendent le moteur d'un véhicule. Ils ne le voient pas mais il se rapproche à grande vitesse. Sans doute une voiture des ravisseurs. Thibault regarde Élisa. Il sourit comme s'il essayait de s'excuser. Leur fuite est ratée. Le véhicule apparaît enfin : Thibault reconnaît tout de suite la moto, c'est Grégoire ! La moto freine au dernier moment et évite Élisa de justesse.

- Au milieu de la route ? Vous êtes fous ?
- Vite Élisa, sur la moto.

Élisa et Thibault s'installent derrière Grégoire.

4. Essoufflé : qui a du mal à respirer.

POLICE
NATIONALE

- Tu es vraiment bizarre en ce moment Thibault. Tu ne veux pas m'expliqu...
Un coup de feu retentit et une balle passe près du casque de Grégoire. La moto démarre à toute vitesse. Un peu plus loin, une voiture apparaît : cette fois, ce sont les ravisseurs. Trois coups de feu et la moto se met à zigzaguer[5]. Une balle a crevé un pneu et Grégoire n'arrive plus à maîtriser la moto. La moto se couche et glisse sur plusieurs mètres. Une jeep qui arrive en sens inverse freine d'urgence pour ne pas rouler dessus.
Trois policiers en sortent. Ils courent vers la voiture des ravisseurs et tirent plusieurs fois dans les pneus avant de maîtriser ses occupants. L'hélicoptère de la police survole la scène quelques instants puis disparaît à la recherche d'autres ravisseurs. Tout est fini.
Thibault aide Élisa à se relever et la serre fort dans ses bras. Ils sont sauvés et n'ont que quelques blessures légères. Tout comme Grégoire qui est déjà debout et demande une nouvelle fois à Thibault :
- Tu peux enfin m'expliquer ce qui se passe ici ?

Le soir même, Éric, Élisa, Flore, Thibault et Xavier sont de nouveau ensemble au château. Chacun raconte l'histoire de ces cinq derniers jours à sa manière. Ils sont tous fatigués mais heureux d'être à nouveau ensemble. *Château Bellage* a encore de beaux jours devant lui.

5. Zigzaguer : aller de travers, faire des zigzags.

Activités chapitre six

1. Mets les phrases dans l'ordre chronologique.

a. Le pied d'Élisa heurte une pierre. ☐
b. Chacun raconte sa version de l'histoire. ☐
c. Thibault tire avec un revolver. ☐
d. La moto dérape. ☐
e. Flore écoute le message de Grégoire. ☐
f. Ils se retrouvent tous au château. ☐
g. La police arrête tous les ravisseurs. ☐
h. Quatre coups de feu retentissent. ☐

2. Vrai ou faux ? Coche et justifie ta réponse.

	VRAI	FAUX
a. Thibault comprend que quelque chose de grave va se passer s'il ne part pas avec Élisa.	❑	❑
b. Élisa et Thibault s'échappent sans avoir vraiment de plan.	❑	❑
c. Le message de Grégoire est très important.	❑	❑
d. Les ravisseurs ne se rendent pas compte qu'Élisa et Thibault ont fui.	❑	❑
e. Pendant leur fuite, Élisa est gravement blessée.	❑	❑

3. En quelques lignes, raconte les étapes de la fuite d'Élisa et de Thibault.

....

....

....

....

4. Remplis la grille.

Verticalement

1 Il peut contenir 900 litres de vin.

2 On ramasse des raisins pendant cette période.

3 Pas de chinois sur celui de Xian Pong.

4 *Château Bellage* est celui d'Éric.

Horizontalement

3 Une lettre sans signature.

4 Elle contient les billets de banque de la rançon.

5 Élisa n'entend pas celui d'Éric.

6 Ils guident Éric et Flore sur la route.

Bilan des chapitres 5 et 6

À ton avis...

1. Pourquoi la remise de la rançon s'est-elle mal passée ?

....

....

....

2. Éric a-t-il bien fait de ne pas prévenir la police ?

....

....

....

3. Qui est Yao Li ? Est-ce vraiment un milliardaire chinois ?

....

....

....

4. Que penses-tu du plan de Thibault ? Qu'aurais-tu fait à sa place ?

....

....

....

5. Imagine les grandes lignes d'un chapitre 6 dans le cas suivant : la remise de la rançon se passe bien et Éric et Flore suivent les ravisseurs jusqu'à la maison abandonnée.

....

....

....

1. Aimerais-tu faire les vendanges ? **Pourquoi ?**

2. Que ferais-tu avec un million d'euros ?
Donne deux ou trois exemples.

3. Quels sont, à ton avis, les avantages / inconvénients du métier de viticulteur ?

4. Aimerais-tu avoir un métier proche de la nature (agriculteur, viticulteur...) ? **Dis pourquoi.**

5. Écris-tu souvent des textos ? **À qui ? Qu'y racontes-tu ?**

6. Dans le cas où quelqu'un de proche de toi aurait été enlevé, demanderais-tu l'aide de la police ? **Pourquoi ?**

JEUX DE RÔLES POUR PLUSIEURS PARTICIPANTS

Jouez la scène de la visite du vignoble.

Jouez la scène de la remise de la rançon.

1. Écris une publicité pour la visite d'un vignoble.

....

....

....

....

....

2. Propose un titre pour chaque chapitre de l'histoire.

....

....

....

....

....

3. Écris un article sur l'enlèvement d'Élisa pour un journal local.

....

....

....

....

....

....

....

....

....

....

....

Test final : Tu as tout compris ?

Réponds, regarde les solutions et compte tes points.

1. Le trio magique est composé de…

a. Yao Li, Alain Groguin, Xian Pong. ❏
b. Flore, Thibault, Xavier. ❏
c. Éric, Élisa, Flore. ❏

2. Éric fait un discours…

a. pour le Nouvel An. ❏
b. pour la fête de la fin des vendanges. ❏
c. parce qu'il prend sa retraite. ❏

3. Élisa n'apparaît pas à la fête car elle…

a. est partie quelques jours chez sa mère. ❏
b. est malade. ❏
c. a été enlevée. ❏

4. Avant l'événement, Éric avait…

a. eu des appels téléphoniques de menace. ❏
b. vu des gens rôder dans la propriété. ❏
c. reçu des lettres anonymes. ❏

5. Un million d'euros est la valeur...

a. de la maison abandonnée. ❑
b. de la voiture d'Alain Groguin. ❑
c. de la rançon. ❑

6. Pour trouver l'argent de la rançon, Éric décide...

a. de vendre le vignoble. ❑
b. d'attaquer une banque. ❑
c. de fabriquer de faux billets. ❑

7. La remise de la rançon a lieu dans...

a. une gare. ❑
b. une maison abandonnée. ❑
c. une carrière. ❑

8. Alain Groguin est trahi par.....

a. sa voix aiguë. ❑
b. une faute d'orthographe. ❑
c. son accent chinois. ❑

9. La police intervient car elle...

a. a été prévenue par Éric. ❑
b. suit la bande depuis des mois. ❑
c. a été prévenue par Thibault. ❑

10. À la fin de l'histoire, Éric Bellage...

a. veut vendre son vignoble. ❑
b. veut continuer à faire du vin. ❑
c. tue Alain Groguin. ❑

Le vin

Chaque année, la France produit près de 45 millions d'hectolitres de vin (1 hectolitre = 100 litres). Ils proviennent principalement de différentes régions de France.

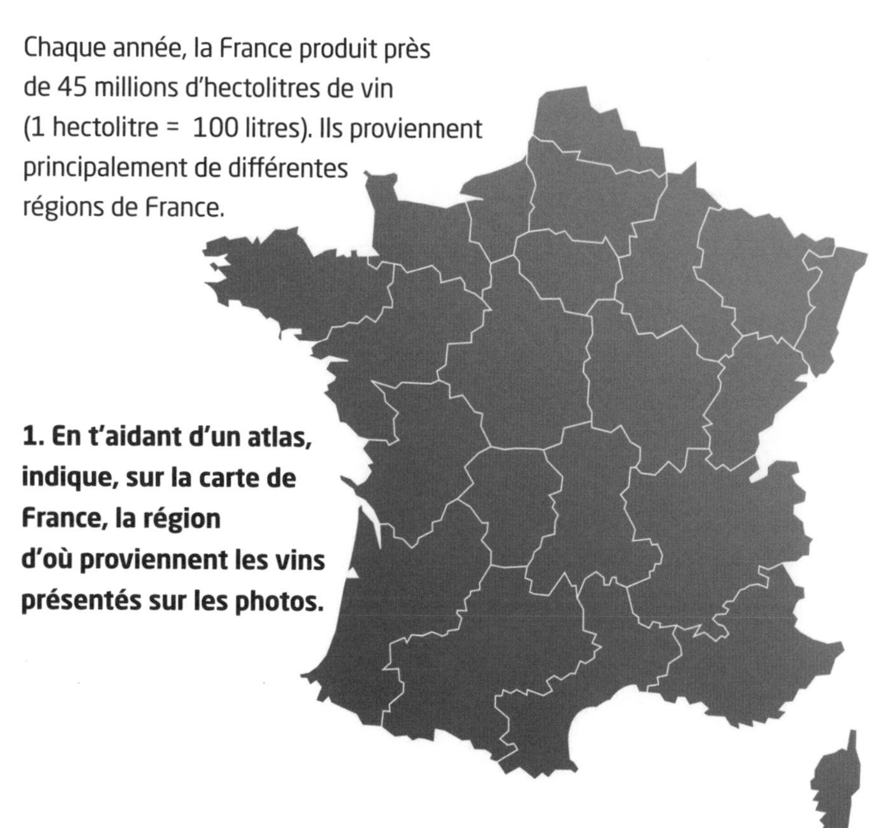

1. En t'aidant d'un atlas, indique, sur la carte de France, la région d'où proviennent les vins présentés sur les photos.

a.

b.

c.

d.

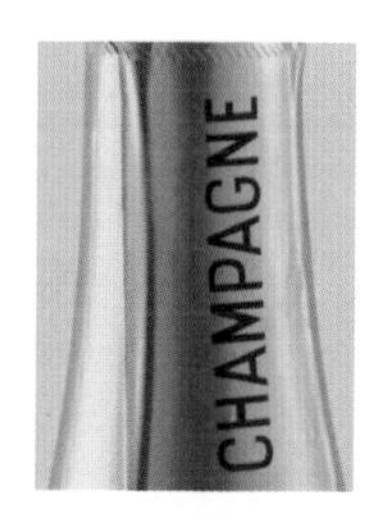

2. À ton avis... Vrai ou faux ? Coche et justifie ta réponse (fais des recherches si nécessaire).

	VRAI	FAUX
a. Le phylloxera est un excellent vin de Bourgogne.	❑	❑
b. Le vin blanc est fait avec du raisin blanc.	❑	❑
c. AOC veut dire Appellation d'Origine Contrôlée.	❑	❑
d. Le millésime d'un vin est l'année de sa récolte.	❑	❑

3. Sais-tu ce qu'est/signifie... ? Relie.

a. Un tire-bouchon.	•	• 1. C'est une variété de plant de vigne cultivée.
b. Un sommelier.	•	• 2. C'est le « degré d'alcool », c'est-à-dire le pourcentage d'alcool dans le vin choisi.
c. Le chiffre 13, 5 % vol, indiqué sur une étiquette.	•	• 3. C'est une personne qui a des connaissances dans le domaine des vins et qui, par exemple, conseille les clients d'un restaurant.
d. Un cépage.	•	• 4. C'est un ustensile qui permet d'ouvrir une bouteille en enlevant le bouchon du goulot.

Achevé d'imprimer en France en septembre 2019
sur les presses de Estimprim
N° de projet : 10258961
Dépôt légal : septembre 2013

Prépare la lecture : ■ Activité 1 a. On demande une rançon contre la vie d'Élisa, c'est un chantage ; et l'histoire se passe dans un vignoble.**■ Activité 3 a.** 2 - **b.** 1 - **c.** 4 - **d.** 3 - **e.** 6 - **f .** 5 /**Chapitre 1 ■ Activité 1 a.** Vrai/La fête du dernier jour des vendanges ! - **b.** Vrai/Son vin a encore de belles années devant lui grâce au trio magique Flore, Thibault et Xavier. - **c.** Faux/Mais Élisa n'est toujours pas revenue quand l'heure du discours arrive. - **d.** Faux/C'est la trentième fête d'Éric comme vigneron et Éric espère en vivre encore autant ! - **e.** Vrai/ Nous avons *enlever* ta femme. **■ Activité 2 a.** Il a peur à cause des lettres anonymes. - **b.** Ils s'amusent d'Éric. - **c.** Thibault est l'ami d'enfance de Flore ; Xavier est peut-être amoureux d'elle. - **d.** Bonne.**■ Activité a.** Oui, *nous avons enlever*, on devrait avoir *nous avons enlevé* (participe passé et non infinitif, il s'agit d'un passé composé). - **c.** Un coup de téléphone, un texte... **■ Activité 4 a.** oie - **b.** cochon - **c.** agneau - **d.** éléphant - **e.** poule / **Chapitre 2 ■ Activité 1 a.** Nous voulons un million d'euros avant jeudi prochain. - **b.** Je vais vendre *Château Bellage*. - **c.** Ils ne reverront jamais Élisa sans l'aide de la police. - **d.** Alain Groguin... est l'homme qui s'occupe en Europe des affaires d'un milliardaire chinois...**■ Activité 2 a.** Éric/Il attend le coup de téléphone des ravissseurs. - **b.** Flore/Quand les ravisseurs appellent. - **c.** Thibault/Pour qu'il appelle la police. - **d.** Alain Groguin/Quand Éric l'appelle pour vendre le domaine à Yao Li. **■ Activité 3** Le vignoble a la valeur de la rançon.**■ Activité 4 a.** yeux/Être attentif, tout remarquer. - **b.** tête/Être distrait. - **c.** langue/Ne pas trouver une réponse et vouloir qu'on la donne. - **d.** doigts/Être très proches, très unis. - **e.** nez/Ne pas aimer quelqu'un - **f.** Cheveux/Compliquer les choses.**■ Activité 5** Nous avons *enlevé* ta femme, nous voulons une rançon d'un million d'euros avant jeudi prochain, n'appelle pas la police sinon nous la tuons. **Bilan des chapitres 1 et 2 ■ Activité 1 a.** Il possède un domaine, il fait du vin et l'affaire marche bien. Sa femme est enlevée et il va vendre son domaine pour payer la rançon aux ravisseurs. - **b.** Elle est *maître de chai* et elle aime son métier. - **c.** Il commercialise le vin et il fait un bon travail. - **d.** Il s'occupe des affaires, en Europe, d'un milliardaire chinois. **■ Activité 2** Éric vient d'apprendre que sa femme à été enlevée. **■ Activité 3** Les ravisseurs demandent une rançon d'un million d'euros. Éric décide de vendre son domaine pour payer et de ne pas appeler la police. / **Chapitre 3 ■ Activité 1 a.** 5/Flore range l'audioguide et découvre qu'il n'a pas le chinois. - **b.** 1/Alain Groguin demande des nouvelles d'Élisa. - **c.** 3/Thibault s'étonne du peu d'intérêt des visiteurs. - **d.** 2/Pendant la visite, Flore explique sa partie. - **e.** 4/Éric a crié trop fort.**■ Activité 2 a.** Ils ont un air détaché. - **b.** Il dit que c'est une voiture d'homme d'état ou de gangster. - **c.** Il écoute mais distraitement car il pense à Élisa. - **d.** Elle est surprise.**■ Activité 3 a.** Vrai/Elle lui a donné un vieux modèle, un modèle avec une seule langue enregistrée : le français ! - **b.** Faux/Éric adore faire visiter son domaine. Mais son esprit est ailleurs aujourd'hui. Il n'a pas envie de parler et demande à Thibault de le faire à sa place. - **c.** Faux/Ils n'ont posé aucune question. - **d.** Faux/Il en ressort une heure plus tard pour annoncer que monsieur Yao Li achète le domaine. **■ Activité 5 a.** impressionnante - **b.** vieux - **c.** magnifique - **d.** charmante **■ Activité 6 a.** un parapluie - **b.** une échelle - **c.** un chat noir - **d.** treize/ **Chapitre 4 ■ Activité 1 a.** Il est très heureux et fête la signature en ouvrant du Champagne. - **b.** Il le suit à vélo. Il connaît très bien la région et passe par des raccourcis. - **c.** Il donne une enveloppe à Xian Pong puis il téléphone. - **d.** C'est un ami d'enfance de Thibault. Thibault lui demande de suivre la voiture sans donner d'explication. **■ Activité 2 a.** Vrai/Xian Pong parle très bien le français ! - **b.** Faux/Suis le 4 x 4 noir, mais sans te faire voir, lui dit Thibault en montant sur la moto. - **c.** Vrai/Il regarde par une toute petite fenêtre et se retient de crier : Élisa est assise sur un lit, les pieds et les mains attachés. - **d.** Faux/Il commence à taper une réponse quand il reçoit un coup violent sur la tête et perd connaissance. **■ Activité 3** Elle est emprisonnée dans une pièce d'une maison abandonnée. Elle a les pieds et les mains attachés. **Activité 4 a.** C'est là que Thibault accroche son vélo. - **b.** C'est là qu'Élisa est retenue prisonnière. - **c.** L'un des ravisseurs en porte un à la ceinture. - **d.** Grégoire suit la voiture d'Alain Groguin avec sa moto. - **e.** Éric regarde son compte en banque sur un ordinateur et Yao Li est en visioconférence sur un autre. **■ Activité 5** rat - vis - sœur = ravisseur / **Bilan des chapitres 3 et 4 ■ Activité 1** Il vient de vendre son domaine et il n'a pas encore retrouvé sa femme. **■ Activité 2** Ils ne posent pas de questions pendant la visite, Xian Pong doit comprendre le français, la proposition du Chinois est égale à la somme demandée par les ravisseurs. **■ Activité 3** Il y a peu de doutes. Xian Pong parle français, il est payé par Groguin.../ **Chapitre 5 Activité 1 a.** Vrai/Éric met la valise qui contient les billets de banque dans le coffre de sa voiture. - **b.** Faux/Ils indiqueront le chemin à suivre par textos. - **c.** Faux/Valise à côté panneau Danger chute de pierres. - **d.** Faux/Tu as *sauver* ta femme. Elle sera chez toi dans une heure. **■ Activité 2 a.** 2 - **b.** 2 - **c.** 1 et 3 **■ Activité 4 a.** 3 - **b.** 7 - **c.** 5 - **d.** 6 - **e.** 8 - **f.** 2 - **g.** 1 - **h.** 4 / **Chapitre 6 ■ Activité 1 a.** 4 - **b.** 8 - **c.** 2 - **d.** 5 - **e.** 1 - **f.** 7 - **g.** 6 - **h.** 3 **■ Activité 2 a.** Vrai/Ils vont nous tuer. Il faut s'enfuir. - **b.** Vrai/Oui, c'est son plan. Il n'a rien trouvé de mieux. - **c.** Vrai/CAPITAINE ! hurle Flore. - **d.** Faux/ALERTE, ILS S'ENFUIENT, crie l'homme. - **e.** Faux/Ils roulent sur une trentaine de mètres avant de se relever. **■ Activité 3** Thibault donne un coup de pied dans la gorge du ravisseur. Puis il lui prend son revolver et il sort en courant avec Élisa. Il tire trois fois en l'air. Élisa et Thibault descendent une pente en roulant, se relèvent, courent et arrivent sur une route. Ils trouvent Grégoire et montent sur sa moto. La mote dérape et ils tombent mais les policiers arrivent à ce moment-là. **■ Activité 4 Verticalement :** 1 tonneau - 2 vendanges - 3 audioguide - 4. vignoble / **Horizontalement :** 3 anonyme - 4 valise - 5 discours - 6 textos / **Bilan des chapitres 5 et 6** *Réponses personnelles.* **Test final : Tu as tout compris ? 1.** b - **2.** b - **3.** c - **4.** c - **5.** c - **6.** a - **7.** c - **8.** b - **9.** b - **10.** b / **Découvre ■ Activité 2 a.** Faux/Ce nom étrange est celui d'un insecte d'un demi-millimètre qui détruit les racines de la vigne. Il est apparu en France à la fin du XIXe siècle et a détruit une grande partie du vignoble. Il est présent aujourd'hui dans le monde entier. - **b.** Vrai et faux/En fait, la couleur du vin provient de la couleur des raisins bien sûr mais, surtout, du temps que le jus de raisin reste en contact avec la peau du raisin. Ainsi, même avec du raisin rouge, on peut faire du vin... blanc ! - **c.** Vrai/Lire ce sigle sur une étiquette garantit d'où vient le vin et comment il a été fabriqué. (On le dit aussi pour d'autres produits comme le fromage, les fruits, le miel...) L'AOC existe en France depuis 1935. - **d.** Vrai/Les raisins d'un vin dit « millésimé » proviennent donc tous de la même vendange. **■ Activité 3 a.** 4 - **b** 3 - **c.** 2 - **d.** 1